郑栗儿/著

刘建志/绘

大师密码 A-Z系列

大师密码A

机智无敌闯通关

人民东方出版传媒
People's Oriental Publishing & Media
東方出版社
The Oriental Press

图书在版编目（CIP）数据

大师密码 . A. 机智无敌闯通关 / 郑栗儿著；刘建志绘 . —北京：东方出版社，2015.2

ISBN 978-7-5060-8013-2

Ⅰ. ①大… Ⅱ. ①郑… ②刘… Ⅲ. ①儿童故事—作品集—中国—当代 Ⅳ. ① I287.5

中国版本图书馆 CIP 数据核字（2015）第 030720 号

本书由台湾东初文化事业股份有限公司独家授权
中文简体字版专有权属东方出版社
著作权合同登记号 图字：01-2014-7460 号

大师密码 A：机智无敌闯通关
（DASHI MIMA A: JIZHI WUDI CHUANG TONGGUAN）

作　　者：郑栗儿
绘　　者：刘建志
产品经理：张媛媛
责任编辑：张媛媛
出　　版：东方出版社
发　　行：人民东方出版传媒有限公司
地　　址：北京市东城区朝阳门内大街 166 号
邮政编码：100706
印　　刷：小森印刷（北京）有限公司
版　　次：2015 年 4 月第 1 版
印　　次：2016 年 3 月第 2 次印刷
印　　数：4 001—9 000 册
开　　本：720 毫米 ×950 毫米 1/16
印　　张：4.5
字　　数：42 千字
书　　号：ISBN 978-7-5060-8013-2
定　　价：18.00 元
发行电话：（010）64258117　64258115　64258112

目 录

出版前言

每个父母都希望孩子未来能出类拔萃，并在孩子的教育问题上倾尽心力。

许多孩子长大后成熟乐观，在社会上如鱼得水，但不少人成年后并不快乐。他们即使地位显赫、经济条件优越，依然郁郁寡欢。带来快乐的因素有很多，其中起决定作用的则是人格。面对同样的问题，不同的人格往往造就不同的结果。

怎样才能培养健全的人格？我们不妨到传统文化中去寻找答案。几千年来，儒、道、佛相得益彰，共同塑造着国人的精神世界。儒家关切社会的治理，道家关怀生命自然状态的保持，而佛家则关心人生痛苦的解除。故此，历史上就有“儒家治世、道家治身、佛家治心”的说法。

今天很多人习惯于将佛教简单理解为一种宗教，有的人甚至认为它是封建迷信。如果去掉宗教的外衣，它其实是一座充满智慧，兼具心理、品德教育功能的文化宝库。

为此，我们从台湾引进了这套“大师密码”A–Z 系列。这套书以 130 个佛教大师的成长故事，体现了 130 个美好的人格特质。沉着、孝顺、无畏、远见……从这些有趣的故事里，孩子们不但可以学会如何获得成功，更能明白如何倾听内心的声音，获得快乐。

这套书结构编排巧妙，集合了台湾优秀的作家及插画师。书中故事生动活泼，插画精美，在台湾广受好评，曾获得台湾“第 27 次中小学生优良课外读物推介”。相信它同样会得到大陆青少年朋友的喜爱。

推荐序

大师的密码　成功的特质

在我还是青少年时，就很喜欢阅读佛教大师的传记故事。可以说，我的人格就是从阅读大师的史传故事，点点滴滴建立起来的。

不论大人、小孩都喜欢读故事，法鼓文化历时两年的筹备，制作了这套有丰富精美插画的“大师密码”A–Z系列。这套书中，选出130个“大师的美好特质”，一个特质就是一个大师故事，让孩子在趣味的故事中自然吸收大师的养分。

我曾指出佛教的高僧必须具有四大条件：持戒清净、修行精进、慈悲济众与护持佛法；如果转换成现代人的语汇，就是自律、认真、宽大、懂得回馈，而这些正是所有成功人士必备的条件。

很多家长以为孩子学佛会变得消极、不具竞争力；如果从大师的四大条件来看，这样的想法完全错误！孩子接触佛法绝对会更积极、健康，能为他们的一生奠定稳固的基础。

大师们的成就绝非偶然，也没有人一出生就是大师，父母应该提供这样的环境，让人格正在成长形塑中的孩子，吸收历代大师们的生命菁华，转化为他们自己的。我相信这一套“大师密码”A–Z系列，能够成为孩子们成长的助缘！

聖嚴

台湾法鼓山禅修文教体系创办人

菩提树下的抱负

大师密码

Aspiration 抱负

两千五百年前，有一个王子为了想知道生、老、病、死是怎么一回事，所以放弃了王位，出家寻找真理，最后他不只领悟到宇宙最高的真理，也教导无数的人了解这个真理，他就是“佛教的创建者”——佛陀。

他原本是北印度迦毗罗卫国释迦族的王子，是族中最杰出的人，能文能武，精通各种学问，曾独自拉开需要一千人才能拉开的“千人弓”。相传能张开此弓者，会成为释迦族国王，但他的抱负是领悟生命真理。他悟道后，为帮助人们也解脱烦恼，便在印度各地说法教化，长达四十多年。

他的教法经过弟子的整理，成为后世所知的“佛教”；他一生追求真理的抱负，变成了大家有志一同的大抱负！

小档案　佛陀

- 名字：悉达多
- 国籍：印度
- 别称：释迦牟尼（释迦族的贤者）
  佛陀（觉者）
- 专长：发现真理
- 影响：创办佛教僧团，使佛教成为世界三大宗教之一
- 事迹：不受世俗规范所迷惑，立志发现人生真理

两千五百年前的深夜，夜风摇动菩提树[1]浓密的叶子，悉达多双腿盘坐在树下，这个位置曾经留下许多修行者在此静坐的痕迹，星月奔走，如今换作一心想了悟生死之谜的悉达多坐在这里，思议着生命的解脱之道。

六年前另一个夜晚，通宵达旦的歌舞停止了，位于喜马拉雅山南麓、印度东北部的迦毗罗卫国，也终于休息了。王宫中还弥漫着盛筵刚过的颓靡气息，二十九岁的悉达多王子从寝宫来到大厅，经过昏睡在地的宫女们身旁。她们在白天都是能歌善舞的美女，现在却胭脂脱落，头发散乱，呈现各种各样丑陋的睡姿。

悉达多不禁叹了一口气，父王生怕他想出家求道，放弃继承王位，不但让他娶了一个美丽的妻子，生下健壮的儿子，还为他建造华丽的园林宫殿，每日供应无数的山珍海味，并选出全国最娇艳的宫女来侍候他。

[1] **菩提树**：又称毕钵罗树，桑科的常绿乔木，原产于东印度。因佛陀在此树下成道，后世多称为“菩提树”。“菩提”是梵语断除烦恼、成就智慧的意思。

但父王的苦心真是白费了，宫中这样的奢华生活：美丽的池塘，漂浮的莲花，栴檀[2]的芳香，夏冬的宫殿，锦衣玉食，歌舞不断，并没有带给他快乐。

他曾经三次到宫外出游，看见有人病了，有人老了，有人死了，这才是人生的实相，每一个人都一样，都会有这些遭遇，而不是躲在王宫里享受荣华富贵就能逃得过。他心中有一个和别人不一样的抱负，既然如此，他要去寻求永恒不变的真理，以解脱生死和烦恼的痛苦。如果顺利学成，再回来和大家分享。

于是，那一晚，悉达多告别熟睡的妻儿，然后悄悄唤醒车夫，载着他穿越寂静的原野，来到河边深林，听说林内有位名叫跋伽的苦行者[3]正在此修行，他让车夫回宫，褪掉太子的华美衣饰，换上粗布衣裳，并用剑把自己的头发割断，以示决心。

[2] **栴檀**：檀香科常绿乔木，产于印度，有黄、白、赤、紫等品种。树干可供雕刻，木材芳香，也可制为檀香或香油，有除疾安身的功效。

[3] **苦行者**：印度有些教派的修行者，为了断除欲望、追求升天，长年忍耐各式各样身体难以忍受的修炼方式，现今印度仍有这样的修行人。

怀着寻访名师求道的精进心，悉达多进入了枝叶茂密的苦行林。林内聚集着许多头发盘起来的修行人，有的倒挂在树上，有的光着身体被火灼烤，不然就是浸泡在溪河里，进行着严酷的身体磨炼，饿了就摘树叶和野果充饥，累了就卧在荆棘尘土上。悉达多有礼地请教他们说："我想向你们学道，能不能教导我真正的解脱之道呢？"

有位长者回答："我们努力苦行，是为了死后能进入天界，用现在的苦换取将来的乐，不知道这是不是你要的解脱之道？"悉达多摇摇头："天界的快乐和我在王宫的快乐都是一样，时间一到就会消失，就像每一场宴会再怎么欢乐，也都有结束的时候，这并不是真正的解脱。"

长者指引他："你不如去频陀山，那里有位大修行者叫作阿罗蓝，他可以教你通往真理的大道。"

为了求得名师的教导，悉达多南下渡过恒河，来到当时印度最具有人文气息的摩揭陀国都城王舍城[4]，国王频婆娑罗十分敬重他，特地到他落脚的密林去探视他，并愿以一半的江山赠送给他，劝他还俗。但悉达多并不答应，他继续求道的旅程，终于来到阿罗蓝仙人的修行地点。

阿罗蓝仙人是一位年近百岁、白发苍苍的智者，有三百多个弟子，他明了悉达多是个非常具有智慧的人。王子请教仙人："如何解脱生老病死？"阿罗蓝仙人便教导他自己所学的禅定[5]方法，悉达多很快便进入禅定的境界，并且得到和他老师一样的领悟，但他仍然觉得这不是真正的解脱。没多久，他只好又转往寻找另一位名师郁陀仙人，学会了更高的禅定，这已是当时修行者的最高层次。可是春去秋来，他坐在山洞中，仍然停留在那所谓最高的境界，对生命的疑惑似乎还是没有得到解答。

[4] **王舍城**：古代中印度摩揭陀国的都城，是佛陀传教的主要地区之一。佛陀死后，他的弟子们就聚集在这里，第一次以口诵的方式将佛陀所说过的教诲整理起来，称为第一次结集。

[5] **禅定**：令心专注于某一对象，达到不散乱的状态。较深的禅定可以让身心安乐、寂静，并超越各种烦恼障碍。

他并不灰心，继续寻找老师，可是已经没有人可以当他的老师了。他来到清澈的尼连禅河边的优楼频螺村，决定改变修行的方法，加入当地苦行者的行列，用禁欲苦行试试看——每天只吃一粒麻、一粒麦，以超人的毅力尝试各种苦行，把自己折磨得不成人形，虚弱不堪。

六年下来，有一天，他忽然明白，过度的苦行其实和过度的享乐一样，都不能得到真正的解脱，所以他决定放弃苦行。当他来到尼连禅河洗净身体，将身上累积的污垢祛除后，出现了一个牧羊女给了他一碗乳糜。他喝完乳糜，整个身体好似注入一股新的力量，仿佛重新活了过来。

接下来呢？悉达多还有什么求解脱的方法呢？不管怎样，他还是不放弃。他渡过了尼连禅河，来到伽耶山附近的菩提伽耶[6]，在一棵巨大的菩提树下铺草静坐，下定决心全力思索答案："如果不能觉悟，就不从这个座位起来。"

他的决心像山石一样坚固，引起魔王波旬[7]破坏的嫉妒心。他不断威胁利诱着悉达多离座，说可以让他成为支配世界的国王，否则将以毒箭射死他。寂静的悉达多依然坐着不动，魔王气得射出毒箭，却每次都射不中他。魔王又派出三个女儿以美色引诱他，但也无法动摇悉达多坚定的意志，最后只好黯然退去。

[6] **菩提伽耶**：位于印度比哈尔南部，面临恒河支流的尼连禅河。佛陀在经历六年苦行后，到了这里，就在毕钵罗树下打坐，得到最高的证悟而成道。

[7] **魔王波旬**："他化自在天"的魔王，名为波旬，常扰乱佛陀及其弟子的修行，障害佛道。

这样日复一日地坐着，直到有一晚，黎明将来之前天空最暗的时刻，悉达多抬头看到天上一颗明亮的星星。在星光与目光交会的刹那间，他终于顿然开悟[8]，了解了凡事的结果都来自原本所造的因，他看到了宇宙人生的本来面目，成为一个真正的觉悟者“佛陀”。

佛陀悟道后，在菩提树下又静坐了二十一天，想起迷惑的世人还在生死之海沉沦，不禁生起怜悯的慈悲心，但是又想：“我所证得的真理，和一般人追求的爱欲享乐完全不同，如果我现在向他们说法，一定不被接受，反而害他们毁谤正法，我不如直接入涅槃[9]吧！”

[8] **开悟**：彻底体悟宇宙实相的真理，并认清生死烦恼的原因，不再被迷惑。

[9] **涅槃**：佛教最高的实践目的，达到超越生死轮回、完全觉悟的境界。

位居世界最崇高地位的天神帝释天[10]知道佛陀的想法后紧张万分，赶来劝阻佛陀："你证得了彻底解决人类烦恼痛苦的方法。如果你涅槃了，这世界就只剩毁灭一途。至尊的佛陀啊！祈求你能将你觉悟的智慧，传给那些沉溺的众生吧！"帝释天劝请了三次，原本迟疑的佛陀闭上眼睛，看见一幕景象：在一个莲花池中，有些莲花深沉在水底，有些莲花则浮出水面，还有些只要一点就可以挣出水面，第三种就是可以为他说法，帮助他找到正确道路的人。于是佛陀决心回到世间，展开另一个教化的抱负。

[10] **帝释天**：本为印度教的天神，至佛教时代，转变成为佛法的守护神，为欲界第三十三天"忉利天"的天主。

佛陀是世界上最伟大的宗教家，也是最杰出的思想家。他发现了宇宙的真理，帮助世人脱离痛苦和烦恼，解开自我执着的束缚，影响深远。如果不是他一再坚持的精进心，也不会有这样的成就。

机智无敌闯通关

大师密码 Agility 机智

一休是日本最有名、最受欢迎的僧侣！

他原本是后小松天皇的儿子，当时由于皇室的纷争，为了避免皇子身份引来杀身之祸，母亲只好忍痛将六岁的他，送到安国寺出家。

个性率直的一休，最喜欢打抱不平，以他的机智替人们抒发怨气、解决问题。由于不愿随着当时的僧侣们攀附权贵，所以坚持刻苦地修行，追求平实的真理。

一休的禅风自由，以特立独行、充满趣味的方式将佛法普及民间，不分男女老幼，大家都喜欢“机智”过人的一休！

小档案 一休

- 名字：千菊丸
- 国籍：日本
- 别称：狂云子
- 专长：机智、不落俗套
- 影响：才气纵横，留下许多脍炙人口的故事与诗偈，有作品《狂云集》传世
- 事迹：常以机智帮助世人排除困难、解脱烦恼

日本的樱花开满在京都恬静的古街和庭园，小千菊丸张着大大的眼睛，看着沿途的樱花花瓣像雨一般飘落，跟在妈妈身后一路来到安国寺。这以后，小千菊丸就是改名叫“周建”的小沙弥[1]。长大后他还有个更响亮的名字——一休和尚，日本临济宗[2]的得道高僧。

那是六百多年前的日本幕府时代[3]，刚刚结束南北朝分裂五十年的局面，政权交给北朝的后小松天皇掌管。小沙弥的父亲正是后小松天皇，母亲伊予局是天皇的宠妃，但她出身南朝于藤原家族，所以被人怀疑和南朝有所勾结，为了安全起见，被天皇安排到京都西郊嵯峨地区生下千菊丸。经过一番深思熟虑后，伊予局决定把孩子送到安国寺接受教育，长大后当一名禅师，这样一来就彻底和政治隔绝，再不会有人以为他会争取皇位的继承而加以杀害。

❶ **沙弥**：指佛教僧团中，尚未受完整戒律，年龄在七岁以上、未满二十岁的出家男子。

❷ **日本临济宗**：临济宗以唐代临济义玄为宗祖，以机锋峭峻著称，常用“棒喝”的方式接引学人。十二世纪末，日本荣西禅师将禅法由中国带回日本，成为日本临济宗的开祖。

❸ **幕府时代**：公元 1192 年到 1867 年，日本天皇势力衰颓，诸侯以大将军的名义来统治全国，史称“幕府时代”，可分为镰仓幕府、室町幕府、江户幕府（也称德川幕府）三个时期。

小沙弥真聪明，他六岁来到京都安国寺，不哭也不闹，对一切事情充满好奇，忍不住还喜欢出出小主意。思考，是小沙弥最喜欢做的事了，而且只要三分钟就能想出有趣的点子。其他沙弥师兄们的反应都没有这位聪颖慧黠的师弟来得快。

这些沙弥们多来自京都附近的贵族及武士[4]家庭，年纪都比周建大。一开始周建孤单地置身在陌生的环境中，又因为不能表明自己是皇子的身份而吃了不少苦头，但他发挥机智的天分，让大家对他彻底服气，甚至愿意服从他的领导，有时连师父都拿他没辙呢！

像最近师父在大家做完早课后的休息时间，偶尔会来到厨房角落拿出一个深色瓦罐，然后一个人悄悄地尝着里面黏黏稠稠膏状的东西，已经好几次了。但很不巧，这一天他正拿着汤匙挖着往嘴里送时，被周建撞个正着，他喊了好大一声：“师父，您在吃什么？”

[4] **武士**：起源于日本平安时代。地方当权者为了保护自身利益，将家族成员和仆役配备武装，后来渐渐发展为效忠主君、以武艺为专业的社会阶级。

师父愣了一下，慌忙地解释道："这是——药，大人吃的药；但对小孩子来讲却是毒药喔！因为小孩子吃了不但会中毒，而且还会死呢！所以你们绝对不能乱碰。"

师父吩咐好了以为没事，哪晓得阻挡不了周建台风一样的好奇心。第二天，趁师父外出办事的空当，他转到厨房，从橱柜到碗架一个个找，终于发现瓦罐藏在天花板的棚架上。他找来一张凳子爬上去，伸出手去够，弄了好半天，终于捞出瓦罐，两手去接却没接牢，整个瓦罐跌落地上，里头的膏汁流了出来，散发出迷人的黑色光泽，闻起来很香甜。周建忍不住用小食指一划塞到嘴里："尝一口应该不要紧吧！"嗯——这哪是什么毒药，而是小孩最爱吃的麦芽糖。

周建赶紧叫其他的沙弥们都过来尝一尝，大家兴奋地将整罐的麦芽糖都吃光，脸上露出满足的微笑，就像麦芽糖一样甜。

这时大师兄才想到了师父的凶样："那不是师父特别藏起来的'药'吗？现在都被我们吃光了，这可怎么办？"

周建拍着胸脯说："没问题，看我的！"然后把地上的瓦罐拿起来一摔，摔成碎片。大家你看我、我看你，愣在原地。

师父办完事回到寺里，看到这场面，整张脸铁青起来。

周建"哇"地哭了："师父，请原谅我！我要拿架子上的东西，不小心把你的药罐打破了……我觉得对不起师父，想以死来弥补过错，就把孩子吃了会死的'毒药'给吃了，可是一直不死。我就一直吃，把它吃完了，却还没死。"

师父心里晓得周建已经知道瓦罐的秘密，但是又不能说破，只好露出尴尬的笑容收场："没事就好，没事就好，这一点小过错还不至于死嘛！大家赶紧把碎片扫一扫。"

这类发生在周建身上的机智故事真是太多了，他的声名就这样一传十、十传百，连鼎鼎大名的前任幕府将军足利义满[5]都听说这孩子与众不同，想要考考他的临场反应，便吩咐下人去安国寺把师徒二人请来金阁寺会面。能被大将军召见，可是件无比荣耀的事，一路上师父一再叮咛要懂礼貌、谨言慎行，周建则落落大方地跟在师父后面来到会客室。不一会将军就进来了，他一见周建劈头就问：“你就是那个最近很出风头的小和尚吗？”

周建低头回应：“大人，不敢，您才是赫赫有名的大将军。”

足利义满哈哈大笑说：“哈哈，很好，你今年多大？”

“周建今年八岁。”

“嗯，周建，我有一个难题想找你解决一下。”足利义满一边说着，一边指着会客室墙边一道大屏风说，“那只老虎每天都跑出来，真是麻烦呢！你可不可以想想办法把它绑起来呢？”

[5] **足利义满**：日本室町幕府全盛时期的第三代将军，权倾天下，曾协助北朝天皇接收南朝政权，结束了日本对立长达六十年的南北朝。

只见屏风上绘着一片竹林，前头站着一只凶猛的老虎，两只眼睛锐利有神，形体逼真，仿佛正要从画里扑身而来。周建走到屏风前，仔细端详着老虎，好像正和老虎彼此凝视沟通一样。他转过头对着将军说："我有个办法，请将军借我一条粗绳。"将军"哦"了一声，请人送来粗绳。

拿了绳子，周建将前段绳子绕一圈打个结，双脚一蹲，一手举起绳子，对着屏风摆好捉虎的姿态，大声喊着：“好了，现在请你们快点来把老虎赶出来，我已经准备好捉它了！”

足利义满非常开心，连连拍手称赞周建的聪明。果真是名不虚传、充满机智的小和尚呢！

就这样，周建以他独特的创意和敏锐反应，渐渐长大成为一个关怀社会的一休大和尚，他不拘形式与流俗，随时以机智或特异的行为，对各种阶层的人们晓以佛法的真义，就像一朵清新的莲花般绽开在日本的乱世中。

与众不同的志愿

大师密码 Altruism 利人

要说谁够资格被称为“中国的佛陀”？那非“智者大师”莫属！

他从小就对佛法充满兴趣，后来因为国家灭亡、父亲过世，让他感到人生无常，便在十八岁出家，立志用佛法的智慧，帮助众人离苦得乐。

聪颖好学的他，才二十三岁就领悟了佛法的最高真理，此后就到处授课讲学，帮助人们学习成长。他总是考虑别人能不能受益，从不计较个人的利害得失。

三十八岁时，智者大师开始整理各家佛学思想，还整理出一套实用的修行方法，让佛学在中国能更被大家接受，所以得到“中国的佛陀”这一美名。

小档案 智者

- 名字：陈王道
- 国籍：中国
- 别称：东土小释迦
- 专长：整理佛学思想
- 影响：开创中国的佛教宗派“天台宗”
- 事迹：为了推广佛法，为了要利益众生，不惜耽误个人的修行

在纷乱的魏晋南北朝时代，有一对兄弟，哥哥叫作陈鍼，弟弟叫作陈王道，他们的父亲是当时梁元帝倚重的朝廷大官。

哥哥从小看着父亲当官很威风，又能带兵去打仗，好动的他也跟着喜欢骑马打仗的游戏。当别人问他:“你长大以后的志愿是什么呀?”他都不假思索地回答:“我要像父亲一样当一个好官，对抗敌人，为国家争光。”

但是文静的弟弟从小就跟其他孩子不一样，除了有双瞳四目之外，还喜欢去佛寺，听和尚念经，并很快跟着学会了念《法华经》。面对同样的未来志愿问题，他的答案却是:“我要学习佛法，救度众生。”

天有不测风云。后来梁元帝被西魏的入侵者杀害了，他们的父亲因为来不及拯救皇帝，而难过得一病不起。就在弟弟十八岁那一年，父母先后过世，只剩下两兄弟相依为命。面对往后的前途，哥哥对弟弟说：“我们是名门世族的后代，如今父母都走了，我们应该继承父亲遗留的志业，在朝廷当官以报效国家。”

但是弟弟却有不同的想法：“哥哥，世俗的荣华富贵就像天上的浮云一般，不会恒久的。为了报答父母恩惠，为了帮助所有人，我想学佛救人。”弟弟觉得做官虽然也能帮助老百姓，但不如学佛，因为当时动荡不安的局势中，他看到许多佛教僧团从事慈善事业，救济难民，成为安定社会的力量。

为了这不同的利人志愿，一向友好的两兄弟起了矛盾，最后只好拿着父亲临终前遗留的一封信，求助于父亲的好朋友湘州刺史王琳。王琳看完信后，对他们说：“你们的父亲知道王道从小就笃信佛教，所以要我帮助他；至于哥哥如果想当官，我也可以助你一臂之力。”兄弟俩就这样依依不舍地分手了，朝两条截然不同的道路前进。透过王琳的介绍，弟弟到果愿寺出家了，成为智者法师，而哥哥也顺利地踏上仕途。

聪慧的智者很快就适应了佛寺的生活，在工作结束后他都会到藏经堂[1]读佛经。有一天，知名的青年僧人慧旷律师，来到果愿寺的藏经堂借阅佛经。他一看见智者明亮的眼睛，心想：“这个少年沙弥长得真特别。”两人就聊了起来，慧旷律师洋洋洒洒地说起自己从十二岁出家后，走遍各大名山的经历。当智者听他说起衡州大贤山藏有著名的法华三部经，内心就向往不已。

后来，慧旷律师向果愿寺住持请求，让智者跟随他学习，又送他到大贤山研究法华三部经，得到更进一步的启发。三年后，慧旷律师觉得自己已经没什么可以再教他了，就要他前往光州大苏山，另拜以研读《法华经》[2]闻名的慧思禅师为师。

[1] **藏经堂**：收藏经典的殿堂。

[2] **《法华经》**：是自古以来流传最广的佛经，认为一切众生都能成佛。

为追求更高深的《法华经》义理，智者告别了恩师，长途跋涉前往光州。光州正位于南北朝陈、齐两国战火交接的边境。一路上，年轻的智者看着被战争蹂躏过的痕迹，原本和乐的村庄变成一片残破废墟，失去家园的老百姓，两眼无神、茫然地在街上走来走去。

这一切让智者油然生起慈悲心，他不禁思索——究竟什么才是真正的利人之道？主政者为了扩展疆土，不惜征战不休，却害苦无辜的老百姓，说穿了只是为了个人的利益。智者摇摇头，心想：“不为一己的私利帮助他人，才是真正的利人之道啊！”

就这样历经烽火之地，沿途为老百姓祈福，智者总算平安抵达了大苏山，获得慧思禅师的接见。战争的时刻逃命都来不及了，竟然还有人来学佛，慧思觉得很不可思议，但一看到智者清俊的相貌，双瞳所流露出来的智慧，便觉得两人非常有缘。

他指导智者领悟《法华经》的最高境界，学成以后，便派他到陈都金陵（南京）宣扬佛法。

在金陵说法八年，从皇亲国戚、达官贵族到普通的老百姓，大家都非常尊崇他。可是智者觉得听法的人虽然很多，能够领悟的人却很少，佛法应该是利益所有的人，有什么方法可以让大家更接近佛法呢？

于是，他决定带着二十多名弟子到浙江省的天台山[3]隐居用功，参悟更大众化的利人法门。

[3] **天台山**：位于浙江省天台县佛仙岭山脉东北端。公元 575 年，智者来这里修行，从此成为天台宗的根本道场。

某天，一位瘦弱的中年人前来天台山求见智者法师，原来正是阔别二十多年的哥哥陈鍼。哥哥虽然担任军官，长年以来却一直不断生病，而且还被算命仙人预言只能再活一个月。他想起此时已经名满天下的高僧弟弟，便想见弟弟最后一面。

智者法师开导哥哥：“命运是自己的心创造出来的，所以你不必担心病情，只要你能虔心忏悔，把以前所造的罪恶消除，一定可以改变命运的。”

果然，一个月后陈鍼不但没有病死，虚弱的身体也健康起来了。他回想以前自己阻挠弟弟出家的行为，不禁非常后悔：“原来利人有很多种方式，我自以为做官才能利人，真是非常狭隘啊！”

在天台山前后待了二十二年岁月的智者法师，终于成为一代宗师，他总共建造了三十六所寺院、八十万尊佛像，亲自指导一万四千多名僧人，还开辟六十多个溪河放生池。隋朝开皇十七年，文帝派遣使者招大师入京说法，但六十岁的大师走到半路上的石城寺时，便去世了。临终前，他不忘对弟子开示：“我如果不领道僧众，一定能够专心修持，得到更高的成就。我不为一己的私益而去利益众生，所以延误了自己的修行。”大师一生为了利人，耽误自己的修行却在所不惜；也因为他的奉献精神，让中国佛教能够承先启后并发扬光大。

超人气的好人缘

大师密码 Amiable 友善

阿难是佛陀时代出名的“帅哥”法师，如果他没有出家，想要嫁给他的女生可能会挤爆全城！因为他不但长得英俊，待人友善，而且还是释迦族的王子呢！

虽然贵为王子，阿难身为佛陀的堂弟，却一点也不傲慢，总是亲切地对待所有的人，让人心生欢喜，所以不论男女老少，大家都喜欢和阿难做朋友。

待人友善的他，不但被选为佛陀的侍者，而且拥有超强的记忆力，能够过“耳”不忘，所以在佛陀去世后，许多经典都是由他口中背诵出来的呢！

小档案 阿难

- 国籍：印度
- 别称：佛陀十大弟子“多闻第一”
- 专长：记忆力超强
- 影响：参与经典结集，口述佛陀的教法，让佛法能够流传于后世
- 事迹：代女性向佛陀请求出家，促成比丘尼制度的建立

阳光穿透绿色的竹林，洒落一地，映照在群集“竹林精舍❶”幽雅庭园的佛陀诸大弟子脸上和身上。这一次的聚会，是为了公推一位佛陀侍者❷的合适人选。

❶ **竹林精舍**：“精舍”即寺院的别称。竹林精舍位于中印度摩揭陀国，是最早的佛教寺院，佛陀经常在这里说法教化。

❷ **侍者**：指僧团或寺院中，随侍师父、长老身旁，并予以服侍的出家弟子。

佛陀渐渐年老了，需要一位常随的侍者陪伴他，之前佛陀并没有固定的侍者，而是由弟子们轮流侍奉。憍陈如[3]是最早跟随佛陀的五比丘[4]之一，他首先打破沉默：“让我来担任佛陀的侍者，我年纪虽比佛陀大，但我希望能终生侍候佛陀。”

但是佛陀却不同意：“憍陈如年纪大了，他只要把自己照顾好就行了。”

❸ **憍陈如**：佛陀第一位弟子，博学多闻，善于劝化。为教团中的最长老，常居上座。

❹ **五比丘**：悉达多王子刚出家求道时，有五人奉国王的命令，侍奉修苦行的王子。佛陀成道后初次在鹿野苑说法时，便先度化了他们。

其他弟子们又纷纷自我推荐，佛陀也一一婉拒，要他们专心去各地弘法。佛陀的两大左右手弟子目犍连与舍利弗明白佛陀的心意，便一起去找阿难。

阿难是佛陀的堂弟，在佛陀的十大弟子中，他能以“多闻第一[5]”著称，是因为他的记性特别好，佛陀说过的教法，他只要听闻一次便可以全部记住。虽然他记性过人，却不因此骄傲，待人总是非常亲切友善。

“阿难，佛陀的意思是希望你去担任他的侍者，你才二十多岁，正值年轻力壮，而且你个性温和、善解人意，记忆力又强，是最适合的人选。”

阿难原以为侍佛的责任艰巨，怕自己能力不足而推辞了，经过两位师兄一再劝说，终于点头答应。佛陀听了也非常欢喜，对于阿难原先的推辞并不以为意，并连连称赞阿难的谦虚。

[5] **多闻第一**：阿难是佛陀弟子中，听闻佛陀说法最多、记忆力最好的，所以称多闻第一。

阿难果然是一位优秀的侍者，他服侍佛陀长达二十几年，直到佛陀涅槃为止。阿难数十年如一日，无微不至地照顾着佛陀，能够清楚明白地传达佛陀的意见给僧团比丘。他还能将佛陀每次说的法一丝不紊地记在脑海，所有行为准则都依照佛陀所教的法行事。佛陀对此深深感动，宣称在他的优秀弟子中，阿难是唯一同时具备五种特质的杰出者，这五种特质就是多闻、记忆力强、精通教法秩序、意志坚定，还有就是佛陀最好的侍者。

佛陀也曾经对着众比丘赞叹阿难：“阿难是我最好的侍者，阿难知道妥善安排时间，让客人来会见我，阿难对待他们的言语和态度亲切友善，每个客人对阿难的安排，也都欣然接受；当阿难述说事情时，他们都仔细聆听。”

该怎么形容阿难呢？

阿难走过的地方就像春天的风吹过一样，让人觉得无比舒畅，他总是挂着微笑，待人恭敬有礼，让人忍不住就想接近他。此外，阿难还是美男子呢！他清秀得像一轮完好无瑕的秋月，加上富有同情心，对所有人一律给予平等的关怀，因此成为教团中最受欢迎的僧侣。可是他也因为这样而让许多女性对他产生爱慕，造成无谓的麻烦，所以佛陀要他当随侍侍者也是为了化解他的困扰，让他可以专心修行。

有一次，在舍卫国，一位施主做了很多糯米糕供养佛陀，佛陀叫阿难将米糕分给比丘，分完后还是剩下不少，佛陀就叫阿难再把多出的米糕分给城里的贫苦人家。

阿难分着米糕，轮到一位美丽的少女时，正巧拿到两块黏在一起的米糕，甩也甩不掉，只好把它们当作一个分给那个少女。这个无心举动，果然引来非议，有人故意说：“阿难拿两块糕给漂亮的少女，难不成有什么特殊交情？”

阿难听见别人的诬陷，虽然心里非常难过，却也以此自我警惕：“我是个出家人，应该要忍辱负重，人言固然可畏，自己的行为却应该更加谨慎小心，人们对感情的贪求与执着会带来苦恼，也会带来纷争。佛陀教导人要远离贪恋的心，真是非常有道理。”

虽然阿难常因帮助女性而被误解，可是他并不会为了避免误会，就不再帮助女性。就在佛陀成道后，抚养佛陀长大的姨母憍昙弥夫人也同样成为虔诚的信徒。当佛陀的父亲净饭王过世后，她决定追随佛陀专心求道，于是向佛陀请求，希望能够在僧团出家。但佛陀因为当时社会环境的关系，始终不答应，为了怕伤养母的心，佛陀带着弟子们避居其他精舍。

憍昙弥夫人并不灰心，她集合五百位一样想出家的释迦族[6]女人，剃去长发，换上袈裟，打着赤脚，追随在佛陀身后。千里奔波二十多天，终于赶到佛陀住的地方，却不敢贸然进入。

这时，阿难出现了。他看到憍昙弥与其他五百名家族女性突然出现在这里，不但头发剃光，身上还穿着袈裟，着实吓了一跳。当阿难进一步了解她们为了求道而历经千辛万苦，不禁感动万分，便答应为她们请愿。

阿难进入精舍内，乞求佛陀同意让她们出家："佛陀常讲'众生都是平等的'，求佛法也应该不分男女才对啊！"

佛陀平静地回答："是啊！阿难，任何人修持我所说的法，都可以得到一样的领悟，但不代表都需要出家。"

阿难仍不放弃地一再向佛陀请求，佛陀沉默好一阵子，终于点头答应："好吧！"

当阿难把好消息告诉在外头苦候多时的憍昙弥等人时，大家都欣喜不已，纷纷感激他的帮助，也因为阿难帮忙的关系，才有今天女性出家的比丘尼[7]制度。

除了对女性见义勇为外，阿难对待外道或是僧团道友，也都一样亲切友善，既不炫耀自己的长处，也不暴露他人的短处。当僧团有争

[6] **释迦族**："释迦"的意思是"能仁"，古印度民族之一，属武士阶级。佛陀出身于此族，因而称为"释迦牟尼"，意思是"释迦族的圣者"。

[7] **比丘尼**：指出家后受了完整戒律的女性。

执时，也是他出面协助沟通解决问题，并且以友爱精神，勉励师兄弟精进修行。如果不是阿难全心守护佛陀的晚年、为女性出家说情、调和僧团内外纠纷，并且在佛陀过世后，靠着他超强的记忆力参与经典的结集，把后世所见的佛经整理出来，佛教的发展将不会有往后辉煌的成绩。

坚强不屈的探险家

大师密码 Adamant 坚强

如果你看过《西游记》中的唐三藏，而以为他非常胆小、优柔寡断，那你就大错特错了！真实的唐三藏——玄奘大师，可是一个智勇双全、意志坚强、不屈不挠的人喔！

玄奘年轻时发现佛教各派说法不一，于是决定亲自前往佛教发源地——印度，去寻找正确的答案。他冒着生命危险，终于如愿在印度各地学习佛法，并融会贯通各种佛学思想，当时整个印度都没有人能挑战他的理论。

经过十七年的漫长岁月，玄奘终于回到中国，再度以无比坚强的意志，把他在印度学到的佛法整理、翻译成中文，让佛教的发展迈入一个全新的里程。

小档案 玄奘

- 名字：陈祎
- 国籍：中国
- 别称：唐三藏
- 专长：翻译佛经
- 影响：从印度带回六百五十七部佛经，并翻译其中七十五部，让中国的佛经更为完备
- 事迹：不怕旅途的艰苦，独自从长安出发，到印度留学、取经

长安城外传来丝路骆驼商旅的铃铛声，与大觉寺佛塔悬挂的风铃声遥相呼应。玄奘被铃声呼唤着，抬头看向西方的天空，心底坚定地对自己承诺：“我一定要去西方。”唐朝贞观元年（公元627年），二十六岁的玄奘，一直有个巨大的旅行梦想——到西方天竺留学。出家十多年来，他的足迹踏遍大江南北，拜会许多名师，学习各种佛教经典，但几年下来，他的内心总有一种强烈的遗憾：国内的佛教经典并不完整，各家各派的说法不一，唯一的办法就是去佛教的发源地天竺，寻找最正确的原始经典。

他和几个同道僧侣组成一支西行队伍，向朝廷提出申请，但唐太宗登基不久，国家才刚稳固下来，对于边防管制得很严格，所以不准人民出国，其他人都因此打了退堂鼓。玄奘想：“不然我就自己一个人去吧！”

自己一人横渡
沙漠、雪岭、荒野和
冰湖，还要和外国人打
交道，这是多么艰难的一件事啊！
但是求法心切的玄奘，只是一心在佛前
虔诚祈求佛菩萨能够让他顺利成行。

秋天八月，他遇上一位来长安学经完毕，正要回甘肃秦州的僧侣孝达，就和他结伴同行；后又遇见客商要返回兰州，便跟着前往；接着和一名护送官马的官差一起搭羊皮筏到凉州，并在凉州讲经一个多月。但是凉州都督李大亮听说玄奘要去天竺，就命令他回京，不能出关。幸好当地的慧威法师很钦佩玄奘求法的壮志，便派两名弟子慧琳和道整护送他，昼伏夜出，沿着祁连山北麓，来到河西走廊的最后一个城市——瓜州。

瓜州的地方官独孤达是个佛教徒，他听说玄奘来到此地，便欢喜地供养他，并告诉他西行的路线：“从这里往北有一条水流湍急的葫芦河，过河后就是国家边境玉门关。出玉门关还有五座烽火台，每座烽火台相隔一百里，越过烽火台就是伊吾国境的莫贺延碛大沙漠了。”

看来前途似乎困难重重，两位护送的小和尚已经离去，玄奘所骑的马也死了，凉州的追捕令此时也来到瓜州。幸好送追捕令的州吏李昌原也是个佛教徒，他很同情玄奘的遭遇，当场撕毁追捕令，但要玄奘早点离开此地为妙。

玄奘被困在小寺一个多月，不知如何是好，就在这时，一位名叫石磐陀的胡人来向玄奘恭敬行礼，要玄奘为他授五戒[1]。他知道玄奘的困境后，答应担任玄奘的向导。

隔天黄昏，在两人约定的城外草丛，石磐陀带来一位老胡人，牵着一匹又老又瘦的红马。原来那位老胡人已经往返伊吾国三十多趟了，对于西行之路很有经验，他一再提醒玄奘："西行的路途非常艰险，除了流动的沙河，还有鬼魅热风，不仅容易迷路，还可能会丧命，师父一人单身前去，成功的机会很渺茫。"

[1] **五戒**：皈依佛法的人所受持的基本戒律，有不杀生、不偷盗、不邪淫、不妄语、不饮酒五项，持五戒的目的在于保护身心，避免各种欲望与烦恼的困扰。

玄奘表示：“就算是死在路上，也不后悔。”老胡人把马送给玄奘说：“别小看它，它可是一匹识途老马。”

老胡人祝福玄奘旅途顺利成功后先行离去，留下玄奘和石磐陀带着那匹老马前行。越过葫芦河，石磐陀开始担心起来了，前途又远又险，如果“偷渡”不成还可能没命呢！玄奘并不勉强他，就叫他回去，自己一人偷偷地溜出玉门关，又独自走了八十里。来到第一座烽火台要接水喝时，差点就被台上官兵的弓箭射中，幸好烽火台的军官王祥本来就是个佛教徒，他帮助玄奘顺利抵达第四座烽火台。接着玄奘又绕过第五座烽火台，进入八百里长的莫贺延碛大沙漠。

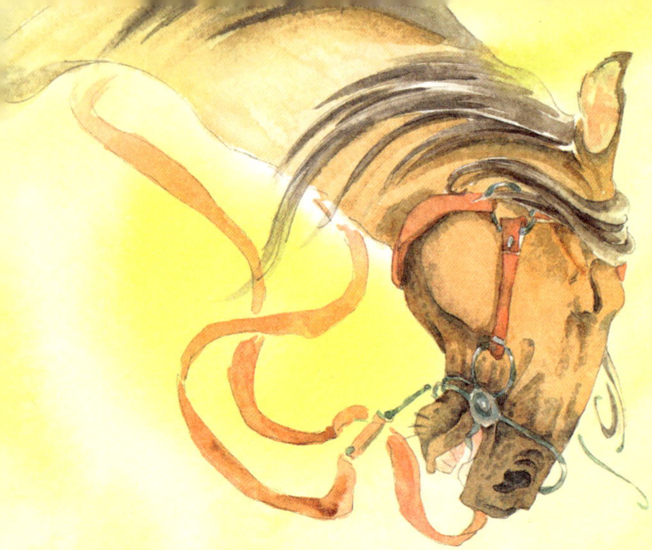

莫贺延碛是著名的流沙河，一波波的黄沙被强风席卷而来，流动的沙丘不时地移动变形，只能追踪着人群走过的足印或遗留的动物粪便前进。放眼整个茫茫如海的广大沙漠，只剩下玄奘和老马的孤独身影，不时还会出现像妖魔鬼怪一样的烟尘，他一路专心诵念佛号[2]为自己壮胆。

❷ **佛号**：诸佛菩萨的名号，如“阿弥陀佛”。诵念佛号可帮助身心保持专注、稳定、清明。

玄奘走了一百多里，最后还是迷路了，而且一不小心还把囊袋里的水给打翻了。这下真糟糕，前途是看不见尽头的绵延黄沙，不如回到第四座烽火台去取水吧！玄奘折返走了十多里，心想：“我已经发愿不到天竺绝不回头，宁可死在西行的路上。”于是他又鼓起勇气继续西行，滴水未进地走了五天四夜，人和马一起晕倒在沙中。到了第五个夜里，突然吹来一阵凉风，让玄奘好像洗了冷水澡一样精神变好了，马也醒过来，便继续前进。走了十里路后，马载着他狂奔乱跑，怎样也驾驭不了，就这样被马载到一片绿洲，玄奘欣喜地在这里好好休息了一天才重新出发。

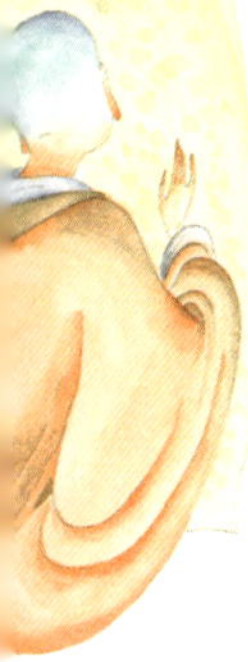

两天两夜后，终于看见远处有一座城堡，正是伊吾国（今新疆哈密）国都了。本来玄奘打算从伊吾国向西北走，穿过巴尔库山，沿天山北麓西行直接到天竺。但伊吾国西方的高昌[3]国王麹文泰是个信佛很虔诚的国王，他听说唐朝京城来了一位高僧，便专程派遣特使前来邀约，玄奘无法拒绝，只好前往高昌国。

麹文泰与玄奘一见如故，希望他留下来担任国师[4]，但玄奘不肯。麹文泰威胁玄奘如果不留下来，就送他回唐。玄奘不为所动，他决定用绝食来表达自己宁死不屈的决心，最后麹文泰被玄奘感化了，不但放玄奘西去，还提供了大批的衣物和钱财，以及随行的人员及马匹，亲笔写信给西域各国的国王，使玄奘能安全地通行，顺利地抵达天竺。

[3] **高昌**：西域古国名，位于现在新疆吐鲁番东南方。这里曾为佛教重镇。著名的佛教遗迹包括高昌故城、千佛洞等。

[4] **国师**：帝王所给予学德兼备、可为一国师表的高僧的封号，意思是“一国民众之师”或“帝王之师”。

整整花了四年时光，玄奘终于来到天竺，展开他十七年的留学生涯，并在贞观十九年（公元645年）带着六百五十七部可贵的佛教经论回到唐朝。如果不是他坚强不挠的意志力，也不会有这一趟令人赞叹不已的探险旅程以及后来中国完备的佛教经典。

玄奘返国后，请求唐太宗支持他翻译佛经的弘法心愿，开始中国史上规模最大的译经计划，不仅参与人员众多，且内容繁浩。七十五部一千三百三十五卷重要经论，就在玄奘优美信达的译笔下逐步翻译完成，比如至今大家都知道的《心经》[5]，就是他的杰作。而且他也将自己西行取经的过程写成了一部《大唐西域记》[6]，成为后来明朝吴承恩写作《西游记》[7]的灵感来源。

❺**《心经》**:《般若波罗蜜多心经》的简称，只有二百六十字，却能包含广大佛法的核心精神，受到高度重视而广为流传。

❻**《大唐西域记》**: 玄奘记述他到印度取经十七年期间的见闻，包含一百多个国家的地理、风俗、文化、物产等记录，是后世研究当时印度、西域的重要史料。

❼**《西游记》**: 中国明朝吴承恩著。以玄奘到西天取经为主干，加入孙悟空、猪八戒、沙悟净等虚构角色，在取经路途中穿插四十一则故事，发展为长篇章回小说。